찰나의 기록들

# 찰나의 기록들

곽혜연

안지영

이은미

지유빈

정명진

최현경

윤

차 례

곽혜연     괜찮아 · 7

안지영     네가 무너지지 않길 바랄 줄은 · 27

이은미     이 세상의 모든 것이 시(詩/時)다. · 49

지유빈     계절적 사랑 · 77

정명진     덜 자란 내가, 아직 어린 너에게 · 103

최현경     낯설게 조금씩 천천히 · 127

윤     끝없는 밤중 몇 없는 별을 본다 · 143

# 괜찮아

곽혜연

꽃피우라고 하지 마세요 • 반짝 • 이천이십년 사월 팔일 유채꽃 안부 • 우주의 지저귐

영문도 모르고 • 길고양이 • 낙제 • 너를 시작한 순간 • 봉숭아 • 괜찮아

**곽혜연**  어린이들이 가장 좋아하는 특별한 날에 태어났다.

평범하게 살아가는 보통의 하루를
소중히 여긴다.

시로 엮어낸 순간들을 차곡차곡 모아서

고요한 품을 가진 할머니가 되고 싶다.

## 꽃피우라고 하지 마세요

봄비가 세상을 적시고
회색 마음들이 제멋대로 분홍빛 물이 들면
꽃피우라고 하지 마세요

위도 경도 아랑곳 않고
손가락 하나로 화려한 색감이 모여들면
나에게 수수한 들꽃이 되라고 말하지 마세요

툭.
툭.
선명하고 달콤한 열매로 오감을 두드리는
꽃의 노크

꽃을 피우는 고통은 열매를 위한 거라고 말하지 마세요

나는 너의 시선을 사로잡지 않아
나는 너의 후각을 자극하지 않아

설령 도로변에 내몰린다고 해도
수관까지 얼려버릴 바람이라고 해도

따뜻한 이불이 아닌 소복한 눈보라를 덮는다고 해도
때로는 너무나 익숙해서 존재조차 잊혀도

나는
꽃을 피우지 않아요

손끝 하나하나에 전해지는 바람결을 느끼고
오늘의 햇빛과 내일의 달빛을 겨누고

나는
꽃을 피우지 않아요

문득 올려다본 하늘 사이에
나의 초록 마디가 음률이 되고
바스락 잎사귀를 스치고 지난 바람이
한숨을 위로하는 작은 숨이 될거예요

이번 봄에도
나는 꽃피우지 않을 거예요

## 반짝

별이 숨어있는 하늘
내 지친 숨을 가만히 내려놓는다
속삭이는 별의 향기가 내려와 내 어깨를 토닥인다
정교하게 어지럽혀진 시간을 지나
내 눈에 부딪히는 순간
반짝.
눈꺼풀을 내려 별을 담아본다

시간이 눈에 보이는 날은
하늘이 더 맑아

항상 그 자리에 있었던 너를
어두운 밤이 되어서야 바라보는 나를
그렇게 반짝.

고요하게 소리치는 반짝
스스로 빛을 내며 반짝

수 억 겹의 시간을 담은 온기가 발끝까지 전해져
모든 시간을 순간으로 점 찍고

영원한 선으로 이어나간다

캄캄한 우주에서 보면 나 또한 그렇게 반짝이길

## 이천이십년 사월 팔일 유채꽃 안부

(코로나로 인해 갈아엎어진 유채꽃밭)


그냥 어딘가에 피어있다는 것 만으로도

그 존재 만으로도

누군가에겐 설렘이 될 수 있지 않을까


그 누가 보고 인정해주지 않아도

참 아름다운 네가 피어서

봄이 왔다

봄이 와서

네가 참 아름답다

# 우주의 지저귐

새소리가 귀를 뚫고 들어온 출근길
인간 세상의 모든 걱정과 욕심들을
아랑곳하지 않는 지저귐

언제나 머리 위에 있었던 하얀 하늘이
늘 그랬던 것처럼 우주를 보여주는데

그간 콧구멍으로 우주를 들이쉬고 있었다는 사실을
마스크를 쓰고 알게 될 줄이야

콧구멍에 갇힌 우주에 잠시 다녀가는 것인데
코딱지만 한 세상을 내 것이라며 움켜쥐고 살다가
결국은 그 누구도 어디로 사라지는지조차 모르겠지

태어날 때부터 수저 하나도 내 것이 아니고
물리적인 시간을 지배하는
세포들의 생사도 자기개발이 안되고

정신만큼은 나로 살아갈 수 있게
가끔 멍하니 세상 속으로 끌려 들어갈 땐
지저귐으로 내 고막을 깨워주길

## 영문도 모르고

언제부터 였을까
뉴스를 볼 수 없게 되었다
세상을 볼 수 없게 되었다

가까이 들여다볼수록
잔인하고 적나라한 세상에

가장 무서운 말은
영문도 모르고.

영문도 모르고
네가 따르던 그 손길에 묻히고

영문도 모르고
네 세상의 전부였던 그 손길에 내던져지고

영문도 모르고
이 고통이 삶이라고 배우고
사그라들었다

뒤늦은 알아차림이
너에게 위로가 될까

세상의 모든 신을 찾으며
두 손 모으게 되는 게
나이 듦

손이 닿지 않는 곳에
신의 자비가 함께 하기를

손이 닿는 곳에는
한 번 더 어루만지기를

# 길고양이

해가 지면
하나둘 켜지는 아파트를 지나
축축한 계단 반지하 방으로 향한다

하늘을 향해 차곡차곡 불 켜진 창문을 바라보며
그 따뜻함을 그려봤을까

코 끝까지 차가운 겨울
작은 온기를 찾아 헤맸을까

겨우 버텨낸 하루의 끝엔
또다시 시작될 내일이 두려워
깊은숨으로 밤하늘을 가득 채웠을까

# 낙제

고3 수능 영어를 지나고 대학생 토익을 지났더니
너를 만났다

이번에도 교재와 인강이 있었지만
그럼에도 너를 해석하지 못했다
너를 독해하는 건 여간 늘지 않았다

직독이 안된다면 의역을 해보기로 했지만
그럼에도 너를 이해하지 못했다
이 글의 분위기는 humorous인 줄 알았는데
정답은 serious란다

더 좋은 교재와 강의를 찾아
켜켜이 쌓아간 오답노트
기출문제와 같은 문제를 실전에서 만났지만
나의 답은 오답
시간이 흘러 화자의 시대적 배경이 바뀌었을까

결국엔 너의 부재라는 점수를 받았다

나는 절대 너를 해석하지 못할 것이다
나는 절대 너를 이해하지 못할 것이다

이 세상엔 독해하지 않아도 되는 언어가 있다는 걸
서러운 점수를 받아들고 알았다

컴퓨터용 사인펜을 들었던 손으로
그저 너의 손을 잡고
OMR 카드에 집착하던 눈으로는
너의 마음을 바라보는

화자를 존중하는 마음이 정답이었다는 걸
네가 떠난 창백한 고사장에 들어서서야 알았다

너를 사랑하며 아프게 깨달은 것이
다음 시험에서는 합격의 비결이 될 것이다

## 너를 시작한 순간

너를 꺼내어 보여준
그날

너의 아픔이
내 아픔이 되었다

그게 너를 시작한 순간이었다

먹지도 않는 가지 앞에서 서성였다
가지 반찬에 젓가락을 쉬지 않던 너를 떠올렸다

커피를 주문했다
인생의 쓴맛이라던 에스프레소
씁쓸한 눈빛으로 잔을 들어올리던 너를 떠올렸다

남자 옷을 입은 마네킹 앞에서 발을 멈췄다
종이 인형에 옷을 입히듯 너를 떠올렸다

너의 아픔이 내것이 된 순간
내 모든 순간은 온통 너였다

## 봉숭아

애꿎은 살갗까지 물들어버린 붉은빛
열 손가락 가득 얹어진 꽃망울이
손끝으로 밀려날 때 즈음
첫눈을 기다리는 고요한 밤의 기도가 되다

## 괜찮아

꿈꾸는 순간이 눈을 감는 밤뿐일지라도
괜찮아

네가 먹먹하게 살아낸 하루가 온통 멍투성이라도
괜찮아

세상의 화려한 시선 속에서 너의 삶은 축축한 잿빛이어도
괜찮아

떨어지는 나뭇잎을 향해 울어줄 작은 마음이면 돼
수줍게 건넨 미소에 함박웃음을 지어보일 수 있으면 돼

너로서 충분해
그거면 돼

# 시작 노트 ─※

빠르게 바뀌는 세상 속, 지구인으로 살아가면서 늘 멀미를 느낀다. 가만히 내 안을 들여다보면 소용돌이치고 있는 어지러운 마음이 보인다. 멀미약을 먹듯 한 줄 한 줄 써 내려간 나의 마음이 열 편의 시가 되었다.

나이가 들면 누구나 어른이 되는 줄 알았다. '어른'이라는 사회적인 표식을 달고 살지만, 청소년에서 어른으로 넘어가는 변태 과정을 꽤나 오래 겪는 것 같다. 어떤 어른이 되고 싶은지 스스로 찾고 싶었다. 화려한 꽃이 되어 많은 사람들을 기쁘게 하라는 말이나 수수한 들꽃이 되어 누군가에게 위로가 되라는 말이, 어느샌가부터 뒤주가 되어 나를 가뒀다. "꽃피우라고 하지 마세요"라고 소리치는 순간, 뒤주를 나오는 문이 내 앞에 있음을 알았다. 그리고 고요하게 "반짝"이는 어른이 되고자 한다.

이제는 꿈같은 코로나를 떠올린다. 누군가에게는 지금까지도 가슴에 맺힌 악몽이 되었을 것이다. 뉴스를 보다가 코로나로 인해 갈아엎어진 유채꽃밭을 보았다. 꽃구경을 하러 많은 사람들이 모일까 봐 취해진 선제적 조치였다. "이천이십년 사월 팔일 유채꽃 안부"를 전했다. 제주도에 한

껏 피었다가 사라진 유채꽃을 보며 "영문도 모르고"사라지는 것들에 대해 생각했다. 뉴스에 나오는 어린아이들과 동물을 향한 잔혹한 사건들. 그때부터 였을까, 너무 아픈 세상을 또렷하게 볼 수가 없었다. 밤의 골목길에서 마주하는 "길고양이"처럼 어둑하게 지냈다. 따뜻한 세상을 그려보며 현실을 회피하기도 했다.

감정을 닫고 출근과 퇴근을 반복하며 세상이 만들어 놓은 기계처럼 하루하루를 보냈다. 어느 날 아침, 귀를 뚫고 들어온 새소리에 정신이 맑아지고야 말았다. 세상의 것들을 잠시 내려놓고 비워진 자리에 덩그러니 남아 있는 나의 마음을 보았다. "우주의 지저귐"이 내 고막을 깨워준 날이었다.

살아가다 보면 "낙제"를 받으며 아파하기도 하고, 그 경험을 발판 삼아 다음의 좋은 결과를 기대하기도 한다. 때로는 "너를 시작한 순간"이 하루를 온통 행복으로 채우기도 한다. 시간의 그래프를 그려 나가는 이 모든 순간의 접선이 매번 다른 방향을 향해 있더라도, 결국엔 유려한 곡선이 되길. 그리고 그 끝엔 노인의 모습을 한 나를 마주하길 바라본다. 노화라는 부정적인 시선이 아니라, 지금껏 생이 이어진 감사함이라는 축복의 시선으로.

그때는 진정한 어른이 되어 비로소 말할 수 있을 것 같
다. 너로서 충분해, "괜찮아"

# 네가 무너지지 않길 바랄 줄은

안지영

신기루 · 주문 · 가장 단순한 이름 · 흉터 · 나의 社 · 설원에서

방카르 · 푸른 바다거북 · 항구 · 추억을 잃지 않는 법

**안지영**  삼 남매 중 첫째로 고양이 두 마리와 가족들과 함께 살아가고 있다. 부모님 슬하에서 일을 배우며, 과거에 스스로 존중하지 못했던 경험까지도 지금의 힘이 된다는 것을 깨달았다. 현재의 경험이 미래의 어떤 순간에 힘이 될지 모른다. 각자의 삶에서 마주하는 독립적인 경험들을 존중하고 싶다. 풀어낸 이야기들이 꼬리를 물고 미래의 당신에게도 연결되었으면 좋겠다.

인스타그램: @anyjay0319

# 신기루

너는 무엇이든 빠르고 확실한 걸 좋아했지
주저 없이 찍은 사랑에 나는 배경 너는 인물
번지듯 나온 사진 한 장에 아이처럼 울고 웃는 얼굴
해가 뜨고 지는 것처럼 내 마음만 일렁이네

나이를 먹는 게 내 잘못이 아닌 듯이, 너를 좋아한 것도 내
잘못이 아니야
빛이 항상 어딘가 걸려있고, 아기 엉덩이는 부드럽고, 고양
이는 발랄하듯이
내 안에서 그대로의 너를 바라봤을 뿐이야

네가 잘한 것도 내가 원한 것도 아닌데
네가 못한 것도 내가 변한 것도 아닌데
해가 뜨고 지는 것처럼 일렁이는 네 얼굴

## 주문

나흘을 굶은 도깨비처럼
피할 수 없는 전화가 있어,
꽃이 피면 온다 했던 당신이
수화기 너머 주문을 외우면
울리는 전화벨도 내 마음도 모두 지워지고
마른 나뭇가지 같은 목소리만 당신을 비춥니다

반딧불 빛처럼 어둠을 수놓는 도깨비 터
그 많던 이웃은 다 어디로 갔을까

그릇 부딪히는 소리로 소란한 방 안
문틈 사이로 식재를 다듬고
삶의 화로를 달구는 그림자 하나

보름달보다 밝은 두 눈으로
밤잠 없이 주문을 외우는
지문 없는 당신의 손가락

내게 닿은 한숨이 너무 가벼워
꽃잎을 손에 쥔 것처럼

당신의 말 한마디 한마디를 받아 적습니다

감자 한 개
치즈 둘
황도 넷
…
수고하세요

당신의 주문이 내 마음을 비추고

아직 꽃은 다 지지 않았는데
우리의 통화는 끝이 납니다

# 가장 단순한 이름

길가에 있던 두 별똥별을 주워
가장 단순한 이름을 지어주었다
호랑이하고 나비

여주에서 대전까지
차 창밖으로 쏟아지는 비가 뭔지도 모르고
서로 손 꼭 잡고 잘도 잤지

작은 새싹이라고
비를 무서워하지 않겠지만
무릎 위에 올린
이동장 안에 갇힌 내 마음
연애는 무슨
평생 여행도 못 가겠다 싶었다

밥은 먹여야지 살지
가장 편리한 이름으로 오래오래
이왕 살 거 행복하면 좋겠어

우리 집에 내려앉은 작은 유성
둘의 이름이 순식간에 늘어났다

호랑, 호동, 호짱
나비, 나순, 나짱

밤하늘에 부유하는 별처럼
반짝이는 길 위의 눈동자들도
빨리 제 이름을 찾았으면 좋겠다

# 흉터

동그랗게 둘러앉아 만드는 종이꽃
아이들의 머리카락 사이로
작은 뿔의 모서리가
부드러운 알맹이처럼 얼굴을 드러낸다

"무슨 일이 있었니?"
한 번 묻는 것만으로
울먹울먹하며 흔들리는 작은 뿔

"종이꽃이 모두 버려져요"
"엄마 아빠가 나 때문에 못 산대요"
"부모님은 흉터 있는 아이는 키우지 않잖아"
"우리 모두 뿔이 있는데 어떻게 하지?"

"쉿, 너도 정말 뿔이 있으면 못 살아?"
뿔이 가지처럼 자란 아이가
울먹이는 친구를 다독이며 말했다

"뿔이 나오면 이미 흉터예요?"
아이가 흉터에 새로 돋은 새살처럼

싱그럽지만 따갑게 묻는다

"흉터는 너만의 성이란다,
주인이 누군지만 잊지 말렴"
아이들이 각자의 방식으로
서로의 머리를 쓰다듬는다

옆에 앉아있던 아이가 일어서서
내 머리의 뿔을 쓰다듬는다
뿔이 솜사탕처럼 부드럽게 녹는다

# 나의 社

두 살 터울
숟가락 두 개로 먼저 태어나
오로지 땀과 열정으로 빚어진
내 인생의 연적
어머니의 낮과
아버지의 밤을 가득 쏟은 그늘이네

들풀 같은 우리 가족에 쏟아지는 빗방울
폭우 속 이파리 많은 나무처럼
그늘이 되어 감싸주던
구멍 난 지붕보다
첫 번째가 되고 싶어

외나무다리에서 햇빛을 기다리다가
태풍 안으로 총을 쥐고 뛰어들었다
칼날처럼 의지를 베는 바람

비 오는 날만 있으면 총구를 겨눌 수 없기에
나도 몰랐지
직접 물리치기 전에

네가 무너지지 않길 바랄 줄은


그늘에서도 진흙에서도 연꽃은 피어나고
폭풍우 속에서도
생명이 자라지 않는 구멍은 없어


빈 총을 땅에 묻는다
햇빛이 가득한 그늘에 모두와 함께 서 있길
사랑하는 사람과 살아가기 위해
총구에서 피어나는 꽃이라는 탄환

# 설원에서

열린 문틈 사이로
너는 시간 가는 줄도 모르고 울고 있어
창밖에선 흰 눈이 빛처럼 멈추지 않아

불빛 가득한 설원에서
눈밭으로 나아간 너와 나는
꿈을 좇아 쪽잠 자고
누가 알아주지도 않는데
이제는 제 몫을 하겠다고
남의 집터에서 매달리듯 방망이질했다

결국 팔다리가 망가지고
철쭉 같던 눈 모가지 망가지고
철 지난 도깨비는
꽃을 못 피웠다는 소문만 홀로 서 있다

부드러운 실패가 발밑 가득한 눈처럼
아득하겠지만,
빛과 같이 피할 수 없는 고난은 있고
일어설 수만 있다면 태어나서 죽을 때까지

녹지 않는 난제도 있어

그냥,
우리 밥이나 한 그릇 하자
창문을 열고 기지개를 켜고
한 번에 한 가지씩만
그다음은 다음다음에 생각하자

창 안으로 눈이 들어오는 동안
나는 두 사람 몫의 밥을 더 데웠다
겨울이 달려오면 같이 두 팔 벌려 맞이해야지
설원이 가지고 있는 네 이야기를 같이 이어가야지

# 방카르[1]

설산 가장 높은 곳에 올라 받은 선물
꼬리는 잘리고 내 머리맡에 두어졌지만
입안에는 젖과 꿀이 가득해

주인이 게르 밖에서 별을 센 머리를 쓰다듬고
눈 발자국을 보며 내 눈썹 같다고 웃네
흙밭에서 눈밭에서 같이 뛰며
앞서간 별 자국을 따라 걷네

눈이 녹기 전에 알았지
이 모든 일이 끝없는 설원과 같아서
눈이 녹고 나면 풀이 이야기를 머금고 일어나듯
나도 어딘가의 주인으로 자라나겠지

해가 모두 뜨기 전에
무덤 앞을 도는 세 사람의 그림자
나는 저물기 시작한 달처럼 지워지려 해

---

1) 방카르(bankhar)는 몽골의 전통적인 목양견으로, 유목민들이 가축을
지키고 늑대로부터 보호하기 위해 길러왔다.

흙이 되기 전에
눈에 밟히는 것이 있다면
등에 떨어지는 주인의 눈을
이젠 녹여줄 수 없다는 거야

# 푸른 바다거북

아크라 시내 중심에는
내가 가보지 못한 바다가 있어

칸타만토 칸타만토[2]
푸른 물결이 귓속을 일렁이고
나는 잊기 싫어 계속 곱씹는다

하얀 모래가 물결을 따라 출렁이고
따뜻한 거품이 부서진대

정치망을 피해
이끼와 들풀이 가득할 그곳으로 가자

흰 비닐이 해파리처럼 일렁이고
부서지지 않는 녹색 거품이 가득한
이 수렁에서 계속되는 익사를 끝내자

범고래와 상어를 피하다가
등껍질이 부서져도 지느러미로 저으며
이끼와 들풀이 가득 서 있을 그곳으로 가자

---

2) 가나의 수도 아크라에 있는 중고의류 국제시장. 매달 500~600 컨테이
너 분량의 헌 옷이 세계 각지에서 들어오는 의류의 바다이다.

# 항구

기러기가 스무 번 철을 지내면
빙하가 거품같이 녹아 없어진다더라
시베리아부터 알래스카까지
바다에 열리는 하늘의 항로
저 하늘 끝 새들이 떼 지어 우는소리
바다 밖으로 메아리치네
닻을 내린 채 비어있는 우리의 항구
길 잃은 나그네만 가끔 안부를 전하고
나는 부끄러워 날지 못했다

## 추억을 잃지 않는 법

하루 또 십 년이 지나도
비가 내리지 않는 모래밭에서
그림자 없이
맨몸으로 걷게 하는 힘

덧없이 발을 적시며 웃는 사람들
이상하다고 여기는 사람도
눈을 마주하는 사람도 없지만
나는 어디에도 있다네

하얀 모래에 숨어있는 날카로운 조개껍데기
색색이 반짝이는 아픔을
주워 움켜쥐고
정처 없이 걷다가 들어간 편의점

풍경 소리와 함께 열리는 문
주인도 없이 떠돌던
내 그림자 여기 있었네

하루 또 십 년이 지나도

안부도 없이
아이스크림을 꺼내 들고 같이 걷는다

불현듯이 고개를 드는 기적

## 시작 노트 ─✳

'네가 무너지지 않길 바랄 줄은'은 '이왕 살 거 행복하면 좋겠는 마음'으로 쓰게 되었습니다. 부모님 밑에서 일을 배우며 일과 삶의 구분이 없었던 저에게 새로운 도전이었지요. 같이 잘 살고 싶어서 쓴 이 시편으로 독자분들과 작은 경험을 공유하려고 해요.

'신기루'와 '주문'에서는 사랑과 일상의 소중함을 이야기했어요. 개인적으로 '주문'에서는 늘 치열하지만 멋지게 삶을 살아가고 계신 나의 도깨비, 자영업자분들을 응원하고 싶었습니다. '가장 단순한 이름'과 '흉터'는 같이 살고 싶다는 마음으로 적었습니다. 특히 나에게 있는 흉터가 어떤 누군가에게는 새로운 경험이자 이야기일 수 있잖아요. 아이의 눈에는 그게 더 궁금하지 않을까 그런 마음에서 작성한 시입니다.

'나의 社'에서는 회사라는 공간이 나에게 갖는 의미를 생각해보고, '설원에서'는 취업준비생 시절 느꼈던 감정을 돌아보고 작성했습니다. '나의 社'에서 회사를 '연적'이라고 표현했는데, 어린 시절에는 부모님을 회사에 빼앗겼다고 느꼈습니다. 이런 감정이 직접 부모님께서 일하시는 모습을 보고 배워가며 많이 바뀌었어요.

'설원에서'에서 '빛과 같이 피할 수 없는 고난은 있고/ 일어설 수만 있다면 태어나서 죽을 때까지/ 녹지 않는 난제도 있어'라고 표현한 것은 아무리 열심히 노력해도 변하지 않는 것도 있다는 것을 얘기하고 싶었어요. '외로움'이라는 감정은 인류 최대의 난제이자 도깨비도 피해 갈 수 없다고 생각하며 시를 썼어요.

'방카르'는 윤회를 믿는 몽골인들의 장례 풍습에서 영감을 받아, 사람과 동물의 영혼이 함께 공존하며 순환한다는 것을 표현하고 싶었고, '푸른 바다거북'은 바다거북의 눈으로 우리가 직면한 환경 문제에 대해 얘기하고 싶었어요.

'항구'에서는 빙하 소멸의 위기와 이에 대한 무관심을 반성하는 마음을 담았고, '추억을 잃지 않는 법'은 추억이 어떤 형태로 일상에 존재하고 살아가는데 어떻게 도움을 주는지, 나름의 답을 찾아 시를 쓰게 되었어요.

작은 순간 하나하나에서 삶의 의미를 찾으려 노력했고, 그 속에서 위로와 깨달음을 얻기도 했습니다. 나 자신을 돌아보고, 앞으로 나아갈 힘을 얻는 데 이 시들이 도움이 되면 좋겠어요. 마지막으로 시를 쓰고 합평에 도움을 주신 모든 분들과 가족, 특히 사랑으로 열심히 합평해 준 비평가 막냇동생에게 감사 인사를 전합니다.

호랑이하고 나비

# 이 세상의 모든 것이 시(詩/時)다.

이은미

시의 밥알 · 역방향의 시간 · 끝없는 팽이의 왈츠 · 나그네의 길 · 빛의 그림

설계될 수 없는 옷 · 나의 칼랑코에 · 당신의 세상 · 위로의 그것 · 우리의 이야기

**이은미**　어느 날 '인생이란 무엇인가?' 고찰을 하는 순간이 옴.

예쁜 한글로 구성되어 있는 시를 읽으면서 공감하고 위로받고 '어떻게 이런 시가

있지?' 싶어 더 나아가 멋진 작품을 써보고 싶단 생각을 함.

그러던 도중 우연찮게 만난 이 프로젝트에 참여하여 첫 공동시집을 냄. 앞으로도

좋은 사람들 곁에서, 좋은 시를 쓰는 사람이 되고 싶음.

인스타그램: @re_poem2024_

## 시의 밥알

ㄱ, ㄴ, ㄷ, ㄹ ……
ㅏ, ㅑ, ㅓ, ㅕ ……

24개의 밥알이
다른 밥알에 뭉칠 수 있도록
진득하면서도 고슬고슬하게 뭉쳐있다.

굶기 전까지는
배고픈 줄 몰랐다.

배가 고프다.
내 눈앞에 김이 모락모락 나는
갓 지은 고봉밥이 있다.

손등에 새겨진
세월의 거친 주름 사이로
따뜻한 김을 불어놓은 그 밥.

밥알들을
눈으로 지그시 넣는다.

꼭꼭 씹어 읽는다.

아린 맛이 나더니
이내, 달고 고소한 맛이 난다.

눈에서 침이 흘리니온다.

배가 부를 땐 모르고 삼켰다.

가문 논에 물을 대고
소만(小滿)에 모내기를 시작하니
이제야 밥알의 소중함이 와닿는다.

## 역방향의 시간

"어른들 출타하시면, 네가 제일 큰 어른이야."
"동생들을 잘 돌봐야 해."

어렸을 때부터
나는 애 어른이었다.

어른들은 바빴고
동생들은 어렸다.

작은 몸으로 할 수 있는 건
제한적이었다.

어서 무엇이든 할 수 있는
큰 어른이 되고 싶었다.

어른이라는 것이 됐다.
'만 19세 이상'
본인이 한 행동 책임질 나이

나이가 한 살 한 살 들어가면서

키가 작아진다.

작아진다.

작아

작

어디까지 작아지려나


나는 어른 애다.


나이를 먹어갈수록

땅에서 끌어당기는 중압감에 키가 작아졌고

작아질수록 삐지기도 잘 삐졌다.


언제부턴가

주말에 하던 TV 만화가

친구들과 희희낙락하던 들판이

내일 숙제를 못 해가서 걱정하던

그날의 내가 그립다.


나이가 한 살 한 살 들어갈수록

난 어려진다.

## 끝없는 팽이의 왈츠

깜깜한 빛 사이로
휘감겨진 탯줄에서 벗어나
무(無)의 기억을 지닌 채
지상으로 휘돌아 떨어졌다.

사이사이 공(空)으로 채워져 있는 자글자글한 모래 사이로
아무것도 무서울 것 없는 나는 깔끔한 양복을 입고
모든 것이 떨리는 너는 화려한 드레스를 입어
서로를 의지한 채 맨발로 춤을 추는 우리

첫 발자국을 그렸을 땐
아가의 첫 걸음마같이 아슬아슬했으나
기쁜 마음으로 서로에게 몸을 맡긴 채 중심을 다잡는다.

까칠하면서도 폭신한 모래 위에서
슬프면서도 아름다운 회전의 발자국을 남긴다.

우리의 발자국 속에
하늘에 매달아 놓은 아름다운 기억의 파편들을
잊지 않으려 하나둘씩 꽂아 넣는다.

우리의 춤이 꽃피울 수 있도록

하늘 위 살랑거리는 꽃잎 사이로 바람이 분다.
중심이 바깥으로 휘청거린다.

춤사위기 쓰러질 듯
하지만 바람을 비단결로 감아
중심을 다시 우리에게 가져온다.

아슬아슬하면서도 낭만적인
우리의 왈츠는 계속된다.

## 나그네의 길

터벅터벅. 나그네는 걸어간다.
꽃과 나무 사이로 떨어져 있는 쓰레기들을
거친 짚으로 엮은 자신의 망태기에 담는다

이내 커져 버린 망태기를 짊어지고
정확한 목적지도 몰라
맞는 길인지 틀린 길인지 모르는 채
울창한 숲길을 걸어간다

가다가 여러 갈래의 길이 나오더라

하루는 왼 손바닥에 침을 뱉더니
양손을 "착!" 하고 마주쳐
침이 튀기는 방향을 바라보더라

하루는 망태기 속의 빈 병을
뱅글뱅글 제자리에서 돌려
병머리가 향하는 방향을 바라보더라

하루는 지나가는 이에게

"어디로 가는 것이 좋겠소?" 물어보더라

나그네는 침이 왼쪽 길로 튀어도
오른쪽 길로 갔고

병미리가 오른쪽 길을 향해도
왼쪽으로 가더라

지나가는 이에게 물어도
이내 자신이 가고 싶은 곳으로 가더라

결국 나그네는 목적지를 모르는 채 걸어가는데
목적지를 향해 걸어가더라

자신의 길에서 주워온 고뇌의 망태기를 비우고
잘 익은 열매들을 담기 위해

## 빛의 그림

하얀 벽에 걸린 여러 개의 그림
그중 세월에 바랜 금이 뿌리같이 내려있는
황동색의 골동품 액자
내리쬐는 스포트라이트

액자에 그림은 없다.
검은 바탕만이 있을 뿐

그러나 불빛이 있기에
검은 바탕에도
다양한 그림이 담긴다.

검은 바탕이기에
작은 불빛도 담는다.

불빛이 없으면
흰색도 검은색도
태초에 모두 검은색이다.

오직 내 앞의 이 액자만이

빛을 붓으로 삼아
살아있는 그림을 그려낸다.

그림과 마주한 나를 본다.

연약히면서도 강인한 눈이 달린
푸른 모르포나비의 날개로
작은 불빛을 따라 날아온 내가
액자에 밝은 불빛으로 담겨있다.

## 설계될 수 없는 옷

실과 베틀로 종과 횡 서로 얽히도록
바둑판 같은 천을 짠다

옷감에 들어간 실의 품명
가로 : Plan A, Plan B ……
세로 : …… Plan Z

공기도 통할 수 없이 촘촘하게 짜지만
자세히 보면 바둑판이기에
발이 빠지길 기다리며 입 벌려 있는
서로의 간극이 있다

설계된 바둑판 안에서
나의 흰 돌과 당신의 검은 돌은
톱니바퀴처럼 움직인다.
서로의 의도와는 상관없이

내가 정성스레 짠 천임에도
수를 놓을 때마다
자충수의 문양을 새겨 넣기도 하고

초읽기의 문양을 새겨 넣기도 한다

그러나 좌절하지 말자
Plan A부터 Plan Z까지
정성스레 짜인 천이지만

그 천을 어떻게 쓰느냐에 따라
내가 몰랐던 자충수가
묘수의 문양이 될 수 있고
고민을 거듭한 초읽기가
정석의 문양이 될 수 있음이다

## 나의 칼랑코에

창가에 하얀 바람이
간지럽게 들어오는 날

꽃말이 '설렘'이란다.
무색이고 무취인 나에게
빨갛고 향긋한 설렘이 다가왔다.

생각날 때 물 한 번 주고
차오르는 꽃 가지를 비뚤빼뚤 쳐보기도 했다.
서툰 손길에도 잘 자랐다.

우연찮게 꽃가지가 또 다른 꽃가지로
자랄 수 있음을 알게 되었다.

은연중에 다가온 나의 설렘을 잘라 키워
커다란 꽃밭이 되도록 주변에 나누어 주었다.

결국 처음의 빨갛고 아담한 자태는 어디 가고
뭉툭한 가지만 남아있었다.

내가 나눠준 설렘들은 잘 있겠거니 했건만
몇몇은 죽어있었다.

집에 있던 무색무취의 뭉툭한 가지를 본다.
저기서 시원한 연둣빛의 싹을 볼 수 없으리라.

햇빛 아래 그냥 내리 두었다.
가끔 주인 잘못 만났다는 연민에
제를 올리는 술과 같이 물 한 잔 올렸을 뿐.

얼마나 지났을까.
그 뭉툭한 가지에서
다른 모양의 설렘이 올라와 있었다.

## 당신의 세상

당신이 파노라마로 펼쳐진 카페에 앉아
그 순간만큼은 흘러가지 않는
서로의 시간을 바라보며 끄적여본다.

그 순간 서로가
보이지 않는 파동에 얽혀
눈앞에 가득하다.

내 가슴에 당신을
연필로 설키게 그리어 채운다.

비구름으로 세상이 덮인 오늘
어깨에 앉은 비를 털며
날 보고 미소 짓는 당신을 보니
나 또한 당신의 거울이 된다.

내 앞의 당신이
당신 앞의 내가
서로의 눈에 서로의 세상이 담겼을 때

우린 눈에 보이지 않는
무언가에 연결되어 있었다.

당신의 세상이 눈물에 가빠질 때
당신은 어김없이 우산을 펴 주었지만
그새 당신의 한쪽 어깨기 촉촉이 적셔졌고

나의 세상이 작은 행복과 감사함으로 꽃 피어오를 때
나는 내 마음속 숨어있던 꽃씨들을 힘껏 발아시켜
함께 들꽃들로 아름답게 할 수 있었다.

이것은 나의 감사이자 고백이다.

## 위로의 그것

일을 마무리하고 온 느른한 저녁
배가 고파 뒤적이는 찬장
찬장 뒤편에 외로이 서 있는 병을 꺼내 본다.


따끈따끈한 방앗간에서 당신의 세월을 압착해
초록 유리병에 담은
빨간 마개의 고소한 참기름


뚜껑을 열자 코에 알알이 박혀오는
고소한 참기름 냄새
맺혀있는 안타까운 걱정의 서림
서툰 말로 표현하지 못하는 애정의 서림


표현할 수 있는 모든 것이
표현할 수 없는 하나의 병에 담겨 나에게로 전해진다.


어느 순간 당연시 받아오던 투박한 그것
찐득하고 쓰러질 것 같이 미끄러운 길에서 시작된 여정은
어느새 세월에 농축된 한 방울 위에서
서툴지만 매끄러운 삶을 추게 한다.

모두가 어렵고 투박한 농사였기에
조금이라도 이해하는 데 시간이 걸렸다.
완전히 이해하려면 시간이 걸릴지 모른다.

모든 것을 이해하는 순간이 온다면
당신의 세월을 압착하여 나에게 준 것처럼
나의 세월 또한 누군가에게 압착하여 주는 날
그날이 아닐까 싶다.

그날이 오지 않았으면 좋겠다.

늦은 시간이지만
보내준 고소한 참기름을 위로 삼아
나물과 함께 맛있게 비벼 먹어보자.

어느 밥보다 맛있을 테니.

## 우리의 이야기

편리하게 누르는 선택 메뉴
밝은 화면 품은 키오스크
빠르게 행간 맞추어
좌우로 정렬

무인의 키오스크는 공백
회전율이 높아 공백

안내원의 키오스크는 운행 중
당연하지 않은 세월에 주름 새겨진 손이
앞사람의 허리춤을 잡고 칙칙폭폭
끊임없이 엄숙한 기차 행렬

마주하는 건
연속되는 행렬의 길이보다
더욱 가파르게 쌓아 올리는 세대의 퇴적층
아름답고 신비한 기암괴석의 산

산이야 바람 따라 물결 따라
천천히 걸어서라도 올라가면 되건만

가파른 산맥 사이로

내 손으로 일군 터에서 소외받을 것 같은 두려움


이것은 세월에 주름져갈

곧 진지한 나의 이야기

## 시작 노트 —※

### 1. 시의 밥알

 시를 읽을 때면 24개의 모음과 자음으로 이루어진 한글이 갓 지어진 따뜻한 밥알처럼 느껴졌다. 입에서도 오물거릴 수도 있지만, 눈에서도 오물거릴 수 있고 맛을 느낄 수 있는 그런 밥알. 시는 내가 길을 잃었을 때 어떤 길을 갈 수 있게끔 위로를 해주고, 화자와 독자 사이에 다양한 공감대를 주고받을 수 있는 멋진 창작물인 것 같다. 인생을 고찰하면서 창작의 욕심에 허기가 졌다. 그때부터 시를 쓰기 시작했다.

### 2. 역방향의 시간

 어렸을 때는 막중한 책임감으로 어린 시절을 지켜야 했던 사람들, 나이 들어선 책임감에서 약간 벗어나 어렸을 때 누리지 못했던 어린 시절을 지금에서야 표현하고 그리워하는 사람들을 생각하며 쓴 시.

### 3. 끝없는 팽이의 왈츠

 어렸을 때부터 지금까지 나란 사람이 한 인격체를 형성하면서 그 안에 다양한 면들이 자라왔다. 어떤 곳에서는 용감하기도 하며 또 다른 곳에서는 소심하기도 하다.

내가 성격과 반대되는 상황을 마주했을 때 좌절하지 말고 예전의 좋은 기억들을 되새기며 중심을 잃지 않도록 바랐다.

## 4. 나그네의 길

나는 자연을 좋아한다. 내가 앞으로 걸어갈 길은 새가 지저귀는 예쁜 숲길이길 바랐다. 하지만 나는 내 인생의 목적지를 찾아 방황하고 있는 중이다. 앞으로도 목적지를 찾아 헤매고 있을지도 모른다. 그럼에도 나는 내 소신대로 나의 길을 걷고 있다. 내 소신대로 길을 걷다 보면 어느새 나도 몰랐던 나의 삶의 목적지를 찾을 수 있지 않을까? 언젠간 나의 길에서 마주한 방황과 고뇌들을 망태기에 한가득 주워서 시원하게 버리고 인생이란 숲에서 잘 익은 열매들로 가득 채우고 싶었다.

## 5. 빛의 그림

벽에 걸려있는 나의 순간들을 담은 액자 중에서 오랜 세월 걸린 액자가 있었다. 그것은 나도 모르게 지어온 나의 한계 프레임이었다. 그 액자 속의 검은 바탕은 켜켜이 쌓아온 힘들었던 지난날이다. 하지만 그로 인해 소소한 희망, 기쁨, 행복 등이 얼마나 소중한지 깨달았다.

어느 날 밤 빛을 통해 유리창에 비친 나를 보았다. 힘든 나날들도 있었지만 밝은 미래를 그리며 좋은 사람들과 함께

여기까지의 여정을 헤쳐온 연약하지만 강인한 나를 칭찬을
해 주고 싶었다.

## 6. 설계될 수 없는 옷

자신이 아무리 계획을 열심히 짜도 예상치 못하게 마주하
는 상황들에 나의 인생이 의도치 않게 흘러갈 때가 있다.
나는 매일매일 그날을 처음 사는 인생의 초보 흰 돌이다.
의도치 않게 절망스러운 상황에서도 자신이 어떻게 하느냐
에 따라 몇 번이라도 꿋꿋이 일어날 수 있길 바랐다.

## 7. 나의 칼랑코에

선물 받은 칼랑코에가 좋아서 예쁜 화분에 분갈이도 해주
고 잘 키워 보려고 했다. 어느 날 칼랑코에가 꺾꽂이가 된
다는 것을 알게 되었다. '와! 꺾꽂이가 되다니. 그럼 이 친
구를 꺾꽂이해서 키워 주변에 나눠 줘야겠다.'라고 생각을
했다. 내가 좋아했던 만큼 다른 사람들도 좋아하길 바랐다.
그런데 꺾꽂이를 하다 보니 어느 순간 뭉툭한 가지만 남았
었다. 그렇다고 나눠준 친구들이 잘 자랐냐? 그건 아니었
다. 곰곰이 생각을 해보니 일련의 상황들은 온전히 내 욕심
으로 시작된 것이었다. 머지않아 내 실수로 칼랑코에가 시
들 것이라 생각을 했다. 그래도 혹시나 화분을 햇빛 잘 드
는데 놓고, 물만 가끔씩 주었다. 그런데 어느 날 화분을 보

니 마른 가지 곁으로 새싹이 올라와 있었다. 정말 다행이지 싶었다.


## 8. 당신의 세상

사랑에 대한 시를 인생 첫 시집에 무조건 내보고 싶었다. 내가 인생이란 무엇인지 고뇌하고 힘들어할 때 곁에서 나의 스승이자, 친구이자, 사랑이 되어준 나의 반쪽을 카페에서 기다리며 쓴 시이다.

그리고 과학에 대해 잘은 모르지만 요즘 양자 물리학 콘텐츠들을 보곤 한다. 이 시는 양자 얽힘 영상을 보고 사랑을 떠올리며 적은 시이다. 양자가 얽혀 있는 게 내 눈에는 왜 사랑으로 보였을까?

사랑이란 단어가 얼마나 고귀하고 숭고한지 안다. 사랑의 마음을 아낌없이 표현하고 싶었지만, 사랑이란 두 글자보다 다른 단어들로 그 마음을 더욱 깊게 표현하고 싶었다. 그래서 이 시에는 사랑이란 단어가 없다.


## 9. 위로의 그것

나는 본가에서 보내주신 참기름을 좋아하는 사람이다.

스트레스를 받을 때는 야식으로 고소한 참기름을 한 바퀴 두르고 먹는 매콤한 비빔밥이 최고다 (골뱅이 소면도 좋다).

참기름을 받을 때면 본가에 계신 아버지, 할머니가 생각난다. 표현하는 데는 참 서투신 분들이고 그 때문에 나도 불효를 저지를 때가 종종 있긴 하지만, 참기름을 볼 때마다 그 병 속에 나를 걱정하는 마음이 녹아있다고 생각한다. 그리고 이 마음을 아는 데 오랜 시간이 걸렸던 것 같다. 그 마음을 100% 아는 순간이 온다면 나도 나이가 많이 들어서야 알게 되지 않을까? 그런데 그때가 되면 안 계실 수도 있는 분들이기에 그날이 오지 않았으면 좋겠다고 표현했다. 여전히 난 철들지 않았다. 앞으로도 철들고 싶지 않다.

## 10. 우리의 이야기

요즘 식당을 가거나 터미널 등에 방문을 하면 키오스크가 놓여 있는 것을 흔히 보고 그로 인해 편리함을 많이 느낀다. 그런데 정확히 어떤 날이었는지 기억은 나지 않지만, 터미널에 놓여 있는 여러 대의 키오스크 중에 안내원께서 계신 키오스크 앞으로 어르신들이 줄을 길게 늘여 서 계신 것을 보았다. 그 모습을 보고 순간 멍을 때렸던 것 같다. 급변하는 세상 속에서 다양한 것을 배우고 발전하는 것도 좋다고 느꼈지만, 내가 편하다고 당연히 느꼈던 것이 누군가에게는 편하지 않을 수도 있겠다는 생각이 들었다.

문명의 발전은 좋은 곳으로 우릴 이끌겠지만 내가 누군가에게 어르신이라고 불릴 날이 오면, 앞 세대 우리 세대를

통해 쌓여오고 내 다음 세대에서 더욱 발전할 문물에 나는
과연 잘 적응할 수 있을까? 의문이 들기도 했다.

# 계절적 사랑

지유빈

토마토 소녀 • 여름 교정 • 청춘의 계절 • 사랑의 시각화 • 바다에 마음 버리기
끝난 사랑의 증거 • 비움과 채움 • 사랑니 • 흘러내린 마음 • 여름과 겨울의 사랑

지유빈　　가장 작지만 가장 큰 나의 결핍들을 글로, 가장 좋아하는 시로 풀었다. 살아가는

한 나의 결핍은 영원할 테지만. 이 글을 읽은 이들은 사랑의 영원함을 경험하길

바란다. 사랑 속에서는 영원히 청춘일 테니.

블로그: blog.naver.com/interinwin8er

## 토마토 소녀

콕 누르면 톡 하고
터질 것 같은 얼굴
이름만 불러도 볼이 빨개지던 소녀

쉽게 붉어지는 얼굴이 부끄러워
늘 고개를 숙이고 다니던 소녀에게
늘 먼저 인사하던 소년

안녕!
안녕하고 대답하는 소녀는
빨개진 얼굴과 꼭 맞는
작고 수줍은 목소리를 들려준다

가벼운 인사가 일상이 되고
서로의 하루 속에 스며든 가벼운 인사는
어느새 소년의 얼굴도 빨갛게 물들인다

## 여름 교정

모래를 만진 반짝거리는 손을 털고
발끝으로 뭉친 모래를 다시 흩뿌리고
앞에 선 친구의 등에 낙서하며
옹기종기 교정 앞에 서있는 아이들

오전 8시 40분
지각쟁이 아이들까지 모인 교정
운동장에 울려 퍼지는 마이크 소리

쨍-하고 울리는 여름 해 소리와
고개를 들면 보이는
저 멀리 있던 아이와의 눈 맞춤은
사랑에 빠지는 클리셰

여름은 사랑을 위한 시간인가 봐
어쩌면 봄은 사랑의 도약 단계일 뿐인가 봐
이것 봐
여름이면 늘 네가 생각나잖아

쨍-하고 울리는 여름 해 소리와

여러 소리가 뒤엉킨

웅성거리는 여름 교정

어쩌면 여름의 클리셰는 사랑에 빠진 것에 대한 핑계

## 청춘의 계절

나무 밑 흙에서 졸고 있던
매미가 울기 시작했다

내 나무 장판 위에 앉은 채
선풍기 날개를 향해 괜스레 입을 벌려
아-
소리를 내어본다

빙글거리는 날개 앞에 앉아
아- 하고 소리 내는 것은
나무 위에서 노래하는 매미처럼
여름의 도착을 알리는 나의 장난스런 신호탄

매미 소리가 한창인 나무 아래서
아이스크림을 나누어 먹기
마트 앞 의자에 누워
서로의 손을 꼼지락거리기
서랍 속에서 꺼낸 필름 카메라로
각자의 청춘을 기록하기

청춘을 교환하는 시간은
책장 깊은 곳에서
앨범을 꺼내어 보는 것처럼
괜스레 웃음이 나오는 시간

나무 밑 흙에서 졸고 있던
매미가 위로 올라오기 시작했다

마음속 깊은 곳에서 자고 있던
그 아이를 향한 마음이 고개를 슬며시 든다

여름이 고개를 들기 시작했다

## 사랑의 시각화

찰칵

또 찰칵


셔터음이 들리면 달려가

그가 찍어준 사진을 한 번 보고는

이내 서로를 바라보며 웃는다


우리 이거 인화하자


맑은 하늘 아래서

네가 담아준 그 마음을

아마 사랑일 그 마음을

가득 담은 사랑을 빌미 삼아

나의 마음도 슬쩍 내비칠게


사랑이 눈에 보이지 않는다는 건 다 거짓말이야

네가 담아준 내가 이렇게나 반짝이잖아


사진에 투영시킨 간질거림을

기억의 첫 장에 간직할게

사랑은 영원의 유의어니까
내 첫 번째 기억이 사랑이라면
기억도 영원의 유의어가 될 수 있을까

# 바다에 마음 버리기

잔잔한 바다와 일렁이는 바다 그리고 주변을 메우는 모래들
고요한 바다와 시끄러운 바다 그리고 주변을 채우는 사람들

물속에 첨벙 뛰어드는 사람과
모래 위를 사각거리며 걷는 사람
깊은 생각에 잠긴 채 바다를 빤히 쳐다보는 사람과
가깝지만 닿을 수 없는 파도를 멍하니 바라보는 사람

바다는 하릴없이 늘 그 자리에서 일렁이고
사람들은 그 속에 과거를 버리고
우리 다시 여기 오자며 약속하는 사람들

낮의 바다는 투명하고 하릴없어서 늘 그 자리에서 일렁이고
사소한 일로 싸우고 쉽게 화해하던 우리처럼
작은 바람에 움찔거려도 이내 잠잠해지지

넓고 깊은 바다는 우리의 마음을 어디까지 받아줄 수 있을까
낮의 바다는 아름답고 밤의 바다는 쓸쓸한 건
지나간 이들이 깊은 밤
바다에 버린 모든 마음을

파도가 받아 주었기 때문이 아닐까


사랑은 주로 투명하고 가끔 쉽게 의미를 잃어서
종종
그러나 자주, 내 어깨를 두드린다


마치 사랑은 끝이 없다는 듯이

# 끝난 사랑의 증거

가끔이 습관으로 변하던 순간과
잃어버린 배려들
늘어난 투정이 귀찮아지는 순간

흔히 그렇듯 사소한 이유로
마지막 인사를 전하고 뒤돌아서는 그를 보며
엄지손가락을 꾹꾹 누르며 울음을 참는다

뿌예진 눈으로 문을 벌컥 열고 침대로 뛰어든다

방 안 빼곡히 널브러진 추억에 눈가가 축축해지고
이내 텅 빈 눈으로 새하얀 천장을 바라보다가
다시 이불을 덮어쓰고는 소리 내 운다

이별 앞에서는 소리 없이 삐져나오던 눈물이
이불 아래서는 참을 수 없는 고통처럼
쉴 새 없이 새어 나온다

바스락거리는 이불 아래서 흐르는 눈물은
고요하다가도 강한 소나기처럼 급박하게 쏟아진다

긴 숨을 몰아쉬며
남은 이별을 붉어진 손으로 벅벅 닦는다


입술 끝에 맺힌 눈물이 씁쓸하다
볼에 남은 눈물 자국이
끝난 사랑의 증거 같다

# 비움과 채움

작은 잔 가득히
그러나 흐르지는 않게 가득히
도망간 과거를 잔 속에 부어
그리고는 한 입 마시지

이제는 갈 곳 없는
추억을 담아 입속에 털어 넣는다

함께 걷던 호수
자주 가던 거리
기념일마다 만들던 반지
크리스마스면 돌려보던 영화

지나간 기억을 잔 속에 담아내고
가득 찬 추억을 다시 입속에 털어 넣고
비워낸 병 속을 해탈함으로 채운다

비운 곳을 나와의 추억들로 채울 준비를 하며

## 사랑니

자란 줄도 몰랐던 사랑니가 갑작스러운 통증으로 드러난다.
크고 단단한 사랑니를 선물 받은 사람은 그 자리를 비우는 고통이 유난히 크게 다가온다. 단단했던 사랑니를 세차게 흔들어 통증을 제거하고 보니 크게 자리 잡았던 곳이 어쩐지 더욱 횡하다.

힘겹게 뽑아낸 사랑니 이야기를 하고 있었다. 듣고 있던 이가 자신은 아직 사랑니가 나지 않았다고 했다. 다른 이는 사랑니가 작아 아픈 줄도 몰랐다고 한다. 그 이야기를 들으니 왜 나는 작고 바른 사랑니를 가지지 못했나 원망스럽다.

사랑니는 사랑을 시작할 시기에 나는 것이라 사랑니라는 이름이 붙여졌다고 한다. 그래서 사랑니를 처음 봤을 때는 드디어 사랑이 시작될까 하는 생각에 설레기도 했다. 그를 처음 만났을 때도 그랬다. 보기 편하게 놓아주던 메뉴판, 고민 중일 때면 가만히 기다려 주던 모습, 잠들기 전 통화해 주던 사소한 습관까지…. 그 사람이 준 단단한 믿음 덕에 내 사랑이 아리지 않겠다고 생각한 적도 있었다.

작고 바른 사랑니를 가지는 경우도 존재한다.

그럼에도

대부분의 사랑니는 언젠가는 뽑아야 한다. 사랑은 늘 이별을 동반하니까.


사랑은 다 그런가 보다.


그가 빠져나간 자리가 유난히 휑하다. 그가 보여준 배려는 어느새 내 습관이 되었고 그가 보여준 믿음의 증거는 그를 떠올릴 수밖에 없는 시간이 되었다.


사랑은 크고 단단한 것인 줄 알게 한 그가 원망스럽다.

오래된 나무 같은 깊은 사랑인 줄 알았더니 꼭 뽑아야만 하는 크고 단단한, 바르지 못한 사랑니였다. 사랑이 이별의 포장지인 줄 알았다면 작고 작은 사랑을 할 걸 그랬다.

# 흘러내린 마음

밤사이 분 바람에 이끌린 낙엽이
집 앞 마당에 소복이 쌓였다

지나간 발자국에 모인 것들이
쪼르르 일렬로 줄 서있다

가지런히 늘어선 낙엽 위로 퐁당 뛰어들어
바닥에 쌓인 것들을 밟아본다

바스락 소리가 새벽 공기 사이로 울린다
흩어진 낙엽들을 다시 한번 밟아본다
금세 사라진 소리가 어쩐지 공허하다

흩어진 낙엽을 대충 발 옆으로 끌어안고
한 걸음 앞에 뭉쳐져 있는
바싹 마른 것들을 한 줌 가득 쥐어본다
낙엽을 담은 손에 힘을 주어본다

뾰족한 잎들에 찔린 손이 아프다

낙엽 가루들을 탁탁 털어 보낸다
바닥 위로 떨어지는 저 낙엽은
가득 담으려는 욕심에 흘러내린 내 마음 같아

손 위에 남은 낙엽 가루를 빤히 쳐다본다
이건 미련인가 보다

이제 하루를 시작해야지
남은 마음을 털어서 보내고 흐르는 물에 손을 씻어내자
흐르는 것에 마음을 실어서
흘러내린 마음은 다시 물로 떠나보내자

# 여름과 겨울의 사랑

나는 네가 시원한 하루를 보내길 바라고
너는 내가 따뜻한 하루를 보내길 바라지

닿을 수 없는
닿아서는 안 되는 우리는 언제 우리가 될 수 있을까

스치는 바람에 내가 흔들리고
쏟아지는 비에 네 몸이 젖는 것
이 모든 건 우리가 가까워지는 신호임을 알아

그러니 우리는 조금만 더 기다리자
봄과 가을이 지고
너와 나만이 존재하는 세상이 오기를 기다리자

비와 구름처럼
해와 나무처럼 인정받을 수는 없겠지만
비록 모두에게 미움 가득한 눈빛을 받겠지만

그래도 우리는 조금만 더 기다리자
봄과 가을이 잊힌 먼 훗날 살아남은 인류는 너와 나만을

사랑할 테니

우리가 온전히 우리로 인정받을 수 있을 때까지
조금만 더 기다리자
태양 아래서 우리는 영원할 테니

## 시작 노트 ─✳

시는 너무 깊고 소설은 너무 길다. 사랑은 어렵고 사람은 싫증 난다. 낭만은 내 곁을 떠난 지 오래고 사랑은 존재한 적이 있던가. 사랑을 알려준 이는 쉽게 곁을 떠나고 외로움을 알려준 이는 곁을 지킨다. 사랑은 모순이 깊다. 그마저도 사랑인 것을 너무 늦게 알았다.

사랑에도 유효기간이 있는 거였다.

사랑은 언제나 내 결핍이었다. 겨울에 얼려둔 결핍은 봄이면 몽땅 녹는다. 여름에는 축축한 땅에 파묻고, 가을이면 슬금슬금 고개를 쳐드는 결핍을, 겨울이 오면 다시 끌어안고 얼릴 것이다. 녹고 파묻고 얼린 나의 결핍은 그렇게 점점 썩어갈지도 모른다. 결핍을 끌어안은 나와 함께.
　그러니 결핍을 시의 형상으로 얼리기로 했다. 다른 이들의 사랑은 썩지 않기를 바라며

-

내게 사랑은 온도 조건에 따라 변하는 부산물 같았다. 그중 겨울은 언제나 영원할 것처럼 나를 움츠러들게 했다.

비록 나는 벚꽃이 한창 필 시기에 '벌써 봄이 온 것 같다.'는 첫 문장을 가진 글에 여름이라고 제목을 짓는 사람 일만큼 여름을 아끼지만, 그래도, 사계절 중 설렘을 느낄 수 있게 하는 건 봄이 유일하다고 생각한다.

그럼에도 순식간에 불붙은 사랑을 겪은 사람에게 있어서 어쩐지 봄은 미적지근한 계절이었다.

싱그러운 시작 단계의 여름과 체념의 단계인 가을, 얽히고 뭉뚱그려진 모든 것을 담은 겨울까지. 사랑의 단계를 표현함과 동시에 계절별로, 나이별로 경험하게 될 사랑과 그에 따른 이별을 담고 싶었다. 이런 이유로 계절적 사랑에서 봄이 빠진 것을 봄은 아끼는 이들이 이해해 주길 바란다.

마지막으로, 나의 결핍인 사랑을 담담히 감싸 안을 수 있게 도와준 그 아이에게 안부를 전하고 싶다. 사람과의 관계는 총량이 정해져 있고 그 관계를 유지하기 위해서는 봄과 같은 온도를 유지해야 한다는 걸 알려주어 고맙다는 말과 함께.

**시작 노트2** ─※ 바다에 마음 버리기

어느 날은 낮이 길고 어느 날은 밤이 길고 어느 날은 많은 사람들이 바다를 찾고 어느 날은 적은 사람들이 바다를 찾을 텐데

그럼 바다가 가진 감정은 우울과 행복 중 뭐가 더 많겠냐는 생각이 들었다.

그런데 말이야 생각해 보면

행복은 바다에 버리지 않는데 우울은 바다에 버리고 싶어서 찾아가는 사람들이 많았던 것 같아 그럼 바다는 영영 우울만 안고 살아가는 걸까?

## 시작 노트3 —⁎ 사랑니

　많은 요정이 늦은 밤 매일 사랑니를 만든다 어떤 요정들은 누운 사랑니를 만들고 어떤 요정들은 작은 사랑니를 또 어떤 요정들은 단단한 사랑니를 또 어떤 요정들은…

　각기 다른 모양의 사랑니가 완성되었다

　요정들은 만든 사랑니를 열심히 옮겨 청춘의 깊은 곳에 뿌리를 내려준다

## 시작 노트4 ─※ 여름과 겨울의 사랑

여름에게

봄과 가을이 다 지나고 너와 나만이 존재하는 세상이 오게 되는 때에, 우리의 사랑이 누군가에게는 외면받더라도, 봄과 가을이 잊힌 먼 훗날, 살아남은 인류는 너와 나만을 사랑하겠지. 우리는 그날을 기다리며 잠시 떨어져 있는 거야.

추신.
너와 내가 만날 수 있는 날은 존재하지 않겠지만, 그럼에도 나는 너를 기다릴게.

겨울에서부터.

# 덜 자란 내가, 아직 어린 너에게

정명진

고장 난 아이들 · 아이 어른 · 덜 자란 어른 · 빌딩 숲 작은 꽃 · 잃어버린 꿈
이상한 아이 · 너와의 대화 · 무지개 · 비행 · 다 때가 있더라

**정명진**  그저 아이들이 좋아서 아이들과 함께 할 수 있는 직업을 선택했고, 해오는 사람으로 그렇게 만나온 아이들의 마음을 위로해 주고 싶었던 어른입니다. "공부를 잘해야 돼.", "좋은 직장 가는 게 성공하는 거야."라고 얘기하는 세상에서 "다양한 경험을 해봐.","다양한 꿈을 꿔봐."라고 얘기하는 어른이 되고 싶었습니다. 적어도 아이들이 자라가면서 '주변에 이런 어른쯤 한 명은 있어도 될 것 같아.'라고 이야기해 줄 때 가장 행복한 그런 지도자입니다.

인스타그램: @ggoma_story.

블로그: blog.naver.com/ggoma_record

투비컨티뉴드: tobe.aladin.co.kr/t/747400241

## 고장 난 아이들

어른들은 얘기해
아픈 것도 참아야 한다고
힘들어도 해야만 한다고
모두가 다 그렇게 하고 있다고

배운 대로 꾹꾹 참고 자란 아이들은
힘들어도, 아파도 참고 또 참아
그러다 쏟아져 버리는 감정에
마음이 무너져, 아래로 가라앉아

어른들 앞 씩씩하게 웃던 아이는
방문을 굳게 닫고 조용히 눈물을 닦아
다시 방문을 열고 나오는 아이는
붉어진 눈으로 다시 웃어 보여

끝날 듯 끝나지 않는 일정에
제대로 된 식사도 하지 못한 채
찌르르 아파져 오는 배를 부여잡고
책상 앞에 앉아 펜을 잡아

결국 멈춰 섰을 땐
아무것도 할 수 없을 만큼 지쳐있어
온몸엔 상처가 가득하지만 아픔을 몰라
눈물이 흐를 것 같지만 흐르지 못해

아픈 줄도 모르고 다시 일어서
몸과 마음엔 병이 가득해
어딘가 고장 난 로봇처럼
다시 또 삐그덕거리며 걸어가

고장 난 아이들이 걸어가
몸과 마음에 병이 난 아이들이
바로 옆 꽃밭이 있는 줄도 모르고
공허한 눈빛으로 어른의 길로 가

## 아이 어른

불편한 몸으로 누워 집을 지키는
그런 엄마를 보며 세상으로 나선 너

믿을 곳이라곤 나밖에 없는
나보다 조금 더 어린 동생을 둔 너

따뜻한 쉼터여야 할 집이
무거운 짐으로 남아 버린 너

어리광 부리며 커야 할 나이
가장이 돼야 했었던 너

무지개가 피어나던 세상에
무지개를 지워야만 살 수 있었던 너

친구들과 웃음꽃 피워야 할 나이
팍팍한 현실에 건조한 웃음을 짓던 너

시시콜콜 모여서 떠는 친구들 사이
그 시간도 아까워 자릴 피하던 너

아이로 자라고 싶지만
어른으로 자라야 했던 너

조금 더 천천히 자랐어야 할
작디작은 아이 어른

기댈 곳이 무너져 홀로 선
아직은 여린 아이 어른

어른이 되어야만 살 수 있었던
아직 솜털이 가득한 아이 어른

두 다리 바짝 힘주고 홀로 서
흐르는 눈물 닦고 마른 웃음 짓는
작디작은 아이 두 손 잡고
희망 잃지 말라 뻔한 소리만 하네

따뜻한 밥 한술
따뜻한 옷 한 벌
따뜻한 말 한마디 건네고
침묵 끝에 작은 한숨만 흐르네

혹여나 너무 긴 포옹이
위로가 아닌 동정이 될까 봐
너무 뜨거운 관심이
작은 어깨의 부담이 될까 봐

쉽사리 건네지 못한 위로는
잠깐의 포옹으로 전하고
작은 손으로 움켜쥘 희망을
미지근한 관심으로 전하네

# 덜 자란 어른

추운 겨울 어른이 됐다

학생이라며
우리를 옭아매던 사슬이 끊기고
이제는 세상으로 나가라 한다

마냥 신나 밖으로 나가 어른이 됐다

공부만 열심히 하면 된다더니,
수능만 보면 끝이라더니,
막상 던져진 울타리 밖 세상은
또 끝없이 해야 할걸 던져준다

할 줄 아는 게 없는 어른이 됐다

배운 대로만 하면 된다더니
내가 배운 교과서는 회사에 필요 없고,
공부하듯 배우려 하니
할 줄 아는 게 없다고 혼난다

"Happy New Year" 인사와 함께 어른이 됐다

즐거운 일만 있을 줄 알았는데,
내 꿈을 실컷 펼질 줄 알았는데,
책임겨야 할 건 늘었고,
꿈을 꾸라던 세상엔 꿈이 없었다

아무런 준비가 안 된 철부지는 어른이 됐다

어릴 적 내가 어려워하면 도와주던 사람도
괜찮다고 나를 다독이며 위로해 주던 사람도
자꾸만 사라져 가는 조금 덜 자란 어른이 됐다

# 빌딩 숲 작은 꽃

커다란 빌딩 숲 사이
한 평 남짓한 자리에
빼꼼 고개를 내민 노란 개나리꽃이
수줍게 손 인사를 건넨다

수줍은 손 인사가 무색할 만큼
뻣뻣하게 서있는 빌딩들
혹시 소리가 작은 걸까
더욱 힘차게 작은 꽃잎을 흔든다

여전히 아무 반응이 없자
풀이 죽은 꽃은 고개를 숙이고
한 평 남짓한 자리에
툭툭 눈물을 떨군다

어느 하나 꽃을 위로하지 않고
눈물을 떨구던 꽃은
땅으로 천천히 돌아가고
그 자리엔 작은 회색 빌딩이 생겼다

꿈을 펼칠 희망을 품고
한 평 남짓한 곳에 꽃을 피운 개나리는
환영받지 못하는 빌딩 숲에서
스스로를 져버리고 다시 태어났다

커다란 빌딩 숲 사이
한 평 남짓한 자리에
스스로를 져버린 작은 회색 빌딩이
과거의 노란 꽃잎을 밟고 서있다

# 잃어버린 꿈

"과학자가 될래요!"
"연예인이 될래요!"
"소방관이 될 거예요!"
"경찰관이 될 거예요!"
"태권도 관장님이 되고 싶어요!"
"축구선수가 되고 싶어요!"

아이들은 새로운 경험을 할 때마다
하고 싶은 것도 많아졌고,
되고 싶은 것도 많아지며
다양한 꿈을 꿨다

"하고 싶은 게 없어요."
"되고 싶은 게 없어요."
"그냥 평범하게 살고 싶어요."
"돈 많은 백수가 되고 싶어요."
"적게 일하고 돈을 많이 벌고 싶어요."
"건물주가 될래요."

앉아 있는 시간이 늘어날수록
하고 싶은 건 줄어 들었고,
되고 싶은 건 줄어들며
꿈을 잃었다

호기심이 많던 아이는
교과서에 묶여버렸다
운동장이 좋았던 아이는
학원 교실에 갇혀버렸다

교과서를 배우고,
배운 내용은 평가를 받고
평가로 나뉜 순위에
아이들의 꿈은 흐려졌다

과학자, 소방관, 경찰관 등
무궁무진하게 커지던 꿈은
잦은 평가와 순위의 경쟁 속에서
작고 작아지다 사라졌다

## 이상한 아이

커다랗고 네모난 건물 안
조금 더 작은 네모의 교실 속
그보다 더 작은 네모난 책상 앞
모두 무표정이야

무표정으로 가득 찬 교실
창으로 들어오는 햇살이 좋아
기지개를 켜며 홀로 웃는 나
모두가 나를 돌아봐

하얀 칠판에 가득 찬 검정 글씨
글씨를 옮겨 적기 바쁜 사람들
창 밖의 흩날리는 벚꽃을 보며 웃는 나
모두가 나를 돌아봐

모니터와 교과서를 번갈아 보며
하나라도 놓칠까 집중한 사람들
교과서에 가려두고 만화책 보며 웃는 나
모두가 나를 돌아봐

네모가 가득한 세상
네모가 당연한 세상
동그란 나를 이상하게 봐
모두가 나를 돌아봐

남들과 좋아하는 게 다른 건데
남들과 표현하는 게 다른 건데
다른 것뿐인데, 틀렸다고 해
나는 그저 난데, 아니라고 해

모두 내가 틀렸다고 얘기하지만
난 그들과 다를 뿐 틀린 게 아니라 생각해
그들에게 칠판의 글씨가 중요했듯
나에겐 내가 좋아하는 것들이 중요했을 뿐이니까

## 너와의 대화

나를 보며 너는 얘기해
선생님처럼 하고 싶은 걸 마음껏 하는
어른이 빨리 되고 싶다고

그런 너를 보며 나는 얘기해
뭘 그렇게 마음껏 하고 싶길래
어른이 빨리 되고 싶냐고

다시 네가 내 눈을 보며 얘기해
엄마한테 허락 안 받고
친구랑 놀고, 사고 싶은 걸 사고싶대

순수한 너의 대답에 배워
뭔가 대단한 걸 하지 않아도 되는구나
어른이라고 꼭 그래야 하는 건 아니구나

나에게 어른은
뭐든 잘 해야하고, 어려운 일을 척척 해내야 하는
완벽한 사람이어야 했는데

너에게 어른은
친구들과 놀고 싶을 때 놀고,
사고 싶은 걸 마음대로 살 수 있으면 어른이었던거야

말이 없는 내게 네가 또 얘기해
그래도 역시 어른은 힘들죠?
일도 해야 하고, 돈도 벌어야 하니까

네 덕분에 나도 순수해진 걸까
그렇게 일해서 번 돈으로
실컷 놀고, 다 사는 거야 얘기해

대답 대신 너는 눈을 동그랗게 떠
마치 엄청난 대답을 들은 것처럼
마치 엄청난 배움을 받은 것처럼

너의 그런 눈에서 나도 배워
어른이란 거 퍽 나쁘지 않다고
어른이란 거 딱히 어려운 게 아니라고

# 무지개

온종일 내리던 비가 그치고
햇살이 창문을 툭툭 두드리는 오후
혹시나 무지개가 뜨진 않을까
설레는 마음에 창문 앞에 선다

창문을 두드리던 햇살은 어디서 온 건지
하늘엔 아직 구름이 가득하다
아쉬운 마음은 구름에 살포시 얹어 보내고
아직은 습한 공기를 피해 창문을 닫는다

닫힌 창문 사이로 웃음 소리가 넘어온다
아이들의 웃음 소리가
한 마리의 새처럼 날아와
다시 나의 창문을 두드린다

빼꼼 고개를 내민 창 밖엔
하교 후 친구들과 떠들며 지나는
반짝이는 보석을 닮은
조그마한 아이들이 보인다

"나는 소방관이 될거야!"
"나는 가수가 되고 싶어!"
저마다 자기의 장래 희망을 부르고
그 목소리 끝엔 반짝임이 가득하다

온종일 내린 비마저도 신나는 듯
물웅덩이를 첨벙이며 웃음 꽃을 피운다
갠 하늘에 뜰 무지개가
아이들 얼굴에 뜬 것 같다

## 비행

"꿈이 없어요."
괜찮아, 넌 아직
뭐든 할 수 있고,
뭐든 될 수 있어

"잘하는 게 없어요."
아니야, 잘하는 게 없는 게 아니야
아직 잘하는 걸 못 해본 거야
더 많은 걸 경험해 봐

"그만하고 싶어요."
그러면 그만해도 돼
다른 걸 해보면 돼
포기가 아니라 다른 도전을 해봐

"잘하고 있는 걸까요?"
그럼 넌 충분히 잘하고 있어
너를 의심하지 마
그리고 못 하면 어때? 경험을 했잖아

"뒤처질까 봐 무서워요."
뒤처지는 게 아니야 느리면 어때
너는 그저 조금 천천히 가는 거야
느려도, 천천히 가도 괜찮아

너는 결국 훨훨 날아갈 거야
날기 전 바닥을 힘껏 달리는 새처럼
지금 넌 달리는 시간인 거야
금방 저 높은 하늘로 날아오를 거야

달리는 시간이 아주 힘들겠지만
결국 넌 더 높은 곳에서 더 넓은 세상을
그 누구보다 잘 날아다닐 거야
가장 행복한 비행을 하게 될 거야

# 다 때가 있더라

다 때가 있더라

학창 시절
학원 땡땡이치고 친구들과 놀던 기
야자 땡땡이치고 친구들과 놀던 거
애들끼리 모여서 가던 작은 분식집
다 그때만큼은 아니더라

미루면 후회하더라

대학 가면 다 할 수 있을 줄 알았지
현실은 각자 바빠진 일정에
얼굴 보기도 힘든 친구들

취업하면 다 할 수 있을 줄 알았지
현실은 툭 하면 야근에 회식으로
눈 밑에 다크서클만 늘어가

지금 할 수 있을 때 해

친구들이랑 노는 것도
맛있는 걸 먹으러 가는 것도
지금이 제일 재밌어

20대의 패기로 떠나봐
배낭 하나 메고 가는 여행
지금 아니면 시간이 없어

공부가 중요하지 않다는 건 아니야
그저 너무 공부만 하지 않길 바라
글로 배우는 세상이 전부가 아니야

조금 더 세상을 경험했으면 해
지금이 아니면 못 할 그 경험을
후회 없이 누리며 자라길 바라

## 시작 노트 —✳

'내가 가르치고 있는 아이들에게 전하고 싶은 말을 쓰자.' 이게 이번 "덜 자란 내가, 아직 어린 너에게"를 쓰게 된 이유입니다. 직업이 아이들과 함께 하는 일이기에 더 가까운 곳에서 꿈을 좇느라, 공부를 하느라, 꿈을 찾느라 고민하고 힘들어 하는 모습을 보게되는데, "괜찮아" 라는 격려조차도 낯간지러워 못 하는 스승은 이렇게 시로 마음을 전하려 쓰게됐습니다.

언제나 저의 시를 첫 번째 독자 나의 제자들에게 조금은 행복한 어른으로 자라길 바라는 저의 마음이 전해지길 바랍니다.

그리고, 혹시라도 이 시를 읽을 청소년 친구들 공부 좀 못 해도 괜찮아, 남들보다 더뎌도 괜찮아, 하고 싶은 게 없어도 괜찮아, 하고 싶은 게 있다면 도전해 봐! 실패도 해보고, 다시 도전도 해봐. 넘어져 본 사람이 일어나는 방법도 아는 거야. 그러니까 두려워 말고 꿈꿔. 나는 그저 너희가 꿈을 꾸며 행복하게 살아가길 바라.

# 낯설게 조금씩 천천히

최현경

풋 중년의 삶 · 내 삶의 경전 · 롱 굿바이 · 울엄마 · 치유 · 담쟁이

뭉클해지다 · 이목구비(耳目口鼻) · 마음 심기 · 살아 낸 것들은 다 짠해요.

**최현경**  어두운 밤하늘의 은은한 달빛을 좋아해요. 연약하지만 아직은 부러지지 않았고
요. 깊지 못했지만 넓어지려고 애쓰는 중이랍니다. 많이 울었고 흘린 눈물만큼
맑은 사람이고 싶어요.

유튜브: @motoongii

## 풋 중년의 삶

마음을 먹으며 산다.

이웃을 돌아보라고 느린 마음 먹고
천박한 허영심 버리라고 헹구는 마음 먹고
흔들려도 부러지지 않는 억새가 되어 산다.

나를 깎아 먹으며 산다.

높아지는 욕심 깎아 먹고
치솟는 부아 깎아 먹고
썩은 마음 도려내고
마침내 검은 씨만 남기며 산다.

# 내 삶의 경전

사는 게 별거 없다
밥이 보약이다
잠을 잘 자야 마음이 너그러워진다
남의 말을 산가거라
사람은 말이다
자신의 운명과 맞서 매일 가장 힘든 싸움을 하는 중이란다
그러니 누구에게나 따뜻하거라
오랜 세월 내게 보내주신 엄마의 문자 메시지

일주일 만에 깨어나
밤새 병실 지키던 내게 처음으로 하신 말씀

'어서 가서 너의 삶을 살아라'

나의 가장 깊고 빛나는 경전
어머니

# 롱 굿바이

눈에 넣어도 안 아픈 손주를 몰라보고
한여름 불볕더위에 오리털 파카를 꺼내 입는다.
때론 나를 고모라고 불렀고
다섯 살 어린 소년이 되어
할아버지 손 잡고 피난 가던 시절 속에 있다.

법정 스님 책 필사하던 아버지
아침마다 내 구두 반짝반짝 닦아주시고
당신의 방을 내어주며 내 서재를 만들어 주신 아버지는
어디 가고
낯선 아버지가 구부정하게 누워있다

가치 있는 것들은 모두 오르막이라고
외로움은 결국 내가 견뎌야 할 몫이라며
어깨를 토닥여주던 아버지.
그리운 그 음성.
영원할 것 같던 방공호가 무너지고
평생 내 편이던 응원군이 사라진다

나는 조금씩 천천히 안녕을 준비한다

## 울엄마

일하느라 바쁘다고,
지금 운전 중이라고,
나 없는 집에 홀로 다녀가신
엄마 전화를 성의 없이 받을 때가 많았습니다.

이번 김치는 너무 짜다고
드라이클리닝 해야 할 옷을 세탁기 돌렸다고
차라리 아무것도 하지 말고 그냥 가라고
엄마를 다그친 적도 많았습니다.

우렁각시처럼 자식 품느라 당신 몸 삭는 줄도 모르던
울엄마.

# 치유

결국

못 박힌 상처는

약발이 아니라

생(生)을 걸고 스며 나오는 속살의 힘으로

아무는 것이다.

# 담쟁이

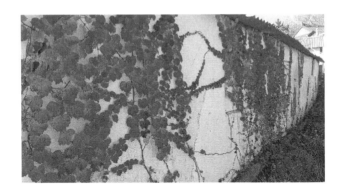

차가 다니지 않는 소무의도는 걸어서 섬 한 바퀴를 돈다
만선과 안전을 기원하는 풍어제를 지내던 부처깨미길
유명 인사들의 휴양지 명사의 해변길
해풍을 맞으며 자생하는 키 작은 소나무길을 천천히 걸었다.

마을과 선착장을 연결하는 마주 보는 길에서
우연히 담쟁이 벽을 보았다.

연두였다가
초록이었다가
이젠 붉게 물들며 타오르는 담쟁이들
잎 하나하나가 서로 손을 맞잡고
거대한 담을 기어오른다.

살아가는 모든 순간이 벽이다.

애써 넘고 또 넘는 게

바로 삶이다.

## 뭉클해지다

위태롭고 척박한 곳
당당하게 푸르른 소나무 한그루


젊은 날엔
불모의 바위에 꿋꿋하게 홀로 선
나무가 대단하다 했지.


철이드니 보이네.
소나무에 기꺼이 자신을 내어준 바위의 마음이.

## 이목구비(耳目口鼻)

살얼음 속 흐르는 시냇물 소리를 듣지 못했다
밤이슬 묻히며 대문을 나서던 엄마의 발걸음 소리와
일자리를 잃고 골목 어둠 속에서 흐느끼던 아버지의 눈물
을 듣지 못했다
지나간 말들이 누군가의 가슴에 못으로 박히는 소리를 듣
지 못했다

그땐 몰랐다
귀가 눈, 코, 입보다 으뜸인 것을

# 마음 심기

땅콩꽃을 보신 적이 있나요?
맹렬하게 타오르는 여름 태양과 무더위,
몇 번의 태풍과 비바람을 견뎌낸 노란 땅콩꽃이.
꼬투리가 땅속을 파고 들어가더니
땅속에서 열매를 맺어요.

땅콩이 맛있는 건 바로 땅에 대한 믿음이에요
아무것도 보이지 않는 흙에
물을 주고, 거름을 뿌리고, 잘 자라기를 바라는 마음을 심
는 거예요.

주의사항은요.
심지 않은 것을 거두려는 허황한 기대는 버려야 해요.
하늘의 태양과 별과 바람과 비에 순종하는 마음을 키워야
하고요.
오랜 기다림에 절망하지 않아야 해요.

무엇보다 반드시 지켜야 할 것은 폭풍 속에서도 좌절하지
않는 단단한 마음이에요.
낙심할 때가 오거든요.

우리 마음도 밭과 같아서 심은 대로 거둔답니다.

괴롭고 악한 마음을 심으면 삶이 무너져요.

격려하고 가꾸는 마음을 심어야 해요

자신을 사랑하는 마음을 심어야 해요

## 살아 낸 것들은 다 짠해요.

모질게 버텨낸 것들이 다 짠해요.

매일 밭에 나와 온종일 땀 흘리며 고추 하나하나 따시는
시어머님의 굽은 등이,
농사일과 다육식물을 돌보느라 '훅' 늙어버린 남편의 검은
손이,
치매와 맞서보겠다고 애면글면 쓰고, 읽고, 걷는 아버지의
결심이,
새벽마다 식탁에서 홀로 흐느끼던 엄마의 일기장이,
그리고 사람과 사람, 가정과 직장, 삶과 죽음의 사이에서
용케 버텨낸 모두가 다 짠해요.
무릎이 꺾일 것 같은 힘겨운 일도,
끝날 것 같지 않은 깊은 슬픔도 다 지나가요
시간의 힘이 우리를 지켜줄 거에요

## 시작 노트 ─✳

치매의 다른 말은 Long Goodbye 라고 합니다.
천천히 조금씩 기억을 잃어버리지요
아프신 부모님을 돌보는 분들의 무겁고 지친 마음을 위해.
대한민국에서 딸로 살아가는 모든 애틋한 마음을 위해.
낯선 중년의 삶을 시작하면서 누군가 내 마음을 헤아려 주기를 바라는 분들과 나누고 싶습니다.

내세울 것 하나 없는 사람이지만, 여전히 해가 뜨지 않은 아침, 새벽달을 보고 거리를 나서고 어둠을 안고 집으로 돌아가는 당신에게 이 시들을 전합니다.

부디 평안하시길...

# 끝없는 밤중 몇 없는 별을 본다

윤

하늘을 나는 법 · 시간 · 착각 · 그대 · 시선 · 겁쟁이

욕심 · 기다림 · 너의 봄 · 그런 날이 있어

윤

시 쓰는 법을 모른다. 시인이 되고 싶은 것도 아니다. 그저 마음을 눌러쓸 뿐이다. 순간을 기록할 뿐이다. 좋아하는 시는 정현종 시인의 〈방문객〉이다. 사람이 싫다가도 다시 사람이 좋아진다. 긴 여행을 거치고 있으며 서툰 문장으로나마 자기 자신과 독자에게 다가가 보려 한다.

인스타그램: @uunii_ck
블로그: blog.naver.com/ghkddbs2484
이메일: ghkddbs2484@naver.com

# 하늘을 나는 법

오늘 밤도 사람들은
저마다의 감옥을 짓습니다

바라볼 곳을 잃고
사랑할 것을 잊은 눈동자로

자욱한 세상을 등진 채
하염없이 천장을 바라봅니다

어젯밤 새 한 마리는
자유를 갈망했습니다

그래서 오늘,
느긋이 죽은 척을 합니다

혀를 끌끌 차대는
주인장의 군말을 견디며
비로소 새장을 빠져나옵니다

잠시 본래의 자신을 버리고
갈망하던 자유를 얻습니다

전부라 믿던 철창을 등지고
드넓은 자유의 하늘을 얻습니다

하여 잠 못 드는 이 밤에
나 역시 죽은 척을 합니다

차오르는 하늘을
가슴에 품고서

비상할 내일
그리고
황홀할 그날을 그리며

## 시간

하루도 쉼 없이
나에게서 영원할 오늘을 뺏는다

*째깍-*

스친다
아이의 순수함은 때 묻는다

*째깍-*

닿는다
청년의 젊음은 주름진다

*째깍-*

머문다
지켜낸 불씨 하나, 아주 꺼지고야 만다

저마다의 가치와 아름다움을 훔쳐 가고선
절대 잡혀주지 않는

쓰디쓴 그리움만 뱉어놓고 가는

지독한 도둑,

이제 그가 되려 나를 쫓는다


참 뻔뻔한 도둑이다

(3)
## 착각

모든 날을 거느릴 수 있단 착각
고통의 뿌리가 나일 것이란 착각
행복의 수명이 영원일 것이란 착각
울퉁불퉁한 삶을 편히 걸을 수 있단 착각

나는 가끔 필사적으로 섣부른 착각을 한다

## 그대

세상을 갖고 싶어 하다
고작 사랑에 설레하는 별난 사람

하늘을 쳐다보며
오늘만을 기다린 것처럼

한여름을 사랑하는
조금 이상한 사람처럼

저물어가는 날들에
뜨거운 눈빛 한 장을 고이 담아내는

하늘을 날아
추락하는 순간도 하나의 모험일지니

깊은 낭떠러지 아래
자유를 헤집던 그대 내게 묻는다

한 줌의 빛도 없는 어느 밤
우리 기어코 별을 찾아낸 그날을 기억하느냐고

## 시선

누구에게든 꽁꽁 감춰둔 은근한 구석이 있다

시간이 흘러도 선뜻 사라지지 않는 저마다의 미성숙이 있다

영웅도 우상도 예외는 아니다

때론 넘치는 관심과 배려를 거두고

우리로 하여 서툰 안목이 필요한 이유다

잘 자라지 못한 어린 마음을

기꺼이 돋보기로 비춰줄 필요는 없는 법이니

적당한 거리를 유지한 채로

스쳐 가는 찰나의 눈길로,

닿을 듯 말 듯 한 아쉬움으로,

형태를 파헤치지 않아야

더 빛날 수 있는 것들이 있다

나는 오늘 조용히 굽어진 어느 이의 뒷모습을 봤다

나는 오늘 숨죽여 사라진 어느 이의 새벽을 봤다

하여 오늘은 시선을 거둔 서툰 다정함이 필요한 날이다

# 겁쟁이

혀를 무기 삼아 찌르는 밤
모두가 소란히 죽어가는 밤

소음에 쫓긴 겁쟁이 하나

어둔 밤을 물리치며
목청껏 노래 부르네

날아든 혓바닥에 베여
철철 피가 흐른 날은

잊힌 행복을 좇아
다시 살아가리라

초라한 그림자로 마주한
녹진히 슬픔 고인 날은

안개 속에 길을 잃어
다시 넘어지리라

긴 터널 속 겁쟁이 하나

피와 멍을 훈장 삼아
비틀비틀 잘도 걸어가네

어느덧 그의 고통은
쓰라린 명예가 되어있네

겁쟁이는
모든 핏덩이 같은 삶을 동경하겠지

가시 돋친 어린 장미를 끌어안고
핏기 묻은 한 송이 기적을 피워내겠지

그럼에도 다시
햇살에 눈 부실 날을 그리며 살아가겠지

그렇게 사랑하겠지
그렇게 사랑하겠지

# 욕심

떠오른 별 하나
텅 빈 하늘 속 입꼬리를 내어준
초승달의 미소를 바라본다

앙상한 달 하나
빛을 뿜으며 온 마을을 밝힐
보름달의 온기를 그려본다

등불 같은 달 하나
잔잔히 흩날려 세상을 누빌
꽃잎의 봄을 나지막이 기다려본다

그 밤, 서로의 아름다움에 취해
모두 저마다의 아득한 꿈을 꿨다

햇살 아래 한 떨기 싱그러움을 떨치며
밤하늘을 수놓는 저 빛을 내어주며

남몰래 갖지 못할 내일을 꿨다

# 기다림

어둠 속 생기 잃은 허름한 산속
매섭게 비바람이 들이친다

종잇장처럼 구겨진 나뭇잎들에
입김을 불어넣으며

가쁘게 일렁이는 잎사귀들을
거칠게 쓰다듬으며

비와 바람은
저 끝으로 무심히도 지나간다

서서히 비명은 잦아든다
미묘히 비극은 죽어간다
힘겹게도 너는 깨어난다

울창하게 숲을 물들이고선
비로소 푸르름을 되찾는다

왜 몰랐을까

창백히 널브러진 낙엽도

뿌리째 메마른 나무도


그 모든 것이

선명한 색을 기다리는 과정이었음을

# 너의 봄

시간에 쫓겨
어설픈 어른이 된 자는

젖은 마음으로 잠시나마
시간여행을 한다

미처 태우지 못한 그날의 젊음
끝내 지르지 못한 애석한 용기

어쩌겠느냐 모든 청춘은
사라져 버리기에 애틋한 것을

말캉했던 뽀얀 속살엔
어느새 굳은살이 덮여가는 것을

파릇하게 돋아난 첫사랑은
종이 한 장에 갇혀버리는 것을

충분히 푸르지 못할지언정
빛바랜 아픔을 청춘이라 이름 불러

모질게도 그리워하네

그 해, 그날 메말랐던 그 봄을

## 그런 날이 있어

여느 일상을 특별함으로
속여 보는 하루

보통의 행복을 움켜쥐며
슬쩍 행운이라 이름 붙여본다

이 오늘, 내 앞의 너를
감히 기적이라 이름 붙여본다

그래
가끔은 얼렁뚱땅한 날도 있어야지

슬픔 고인 눈과 처진 어깨로
젖어가는 밤거리

꾹 눌러 담은 마음속으로
서러운 울음소리 새어 나온다

어둑어둑한 길가 사이로
희미한 빛만이 새어 나온다

그래
어떤 날은 너무할 만큼 고약하기도 해

고단한 햇살을 품어주는 나무처럼
외로이 내리비치는 가로등처럼

그래그래
그런 날이 있어

## 시작 노트 ─✳

하늘을 나는 법

: 목적을 잃고 공허한 눈과 마음으로 그저 무의미하게 맞는 내일. 겨우 눈을 뜨고 있지만 바라본 곳은 드넓은 하늘이 아닌 어딘가 갑갑한 천장인 기분. 그러면서도 또 그 밑에 안주하며 살아가는 하루. 어쩐지 저 멀리 날아가는 새보다 못한 답답한 기분이 들어 이 시를 적는다. 눈을 뜨고 있음에도 스스로 정한 감옥에서 빠져나오지 못한 사람과 죽은 척 눈을 감고 유유히 날아가는 새의 모습이 대비되는 시이기도 하다. 용기 내 나를 내던지면 다른 내일이 있을지도 모를 일이다. 독자들도 시를 읽으며 차분히 눈을 감고 자신의 천장을 허물어 봤으면 좋겠다.

시간

: 많은 것을 앗아가고 또 많은 것을 치유해주는 '병 주고 약 준다.' 의 표본인 것만 같은 존재, 바로 시간이다. 하지만 왠지 시간에게 늘 뺏기는 것이 더 많다는 생각이 든다. 생각이 늙어가고 삶이 무르익어갈수록 지나가 버린 시간을 원망하는 날도 있겠다. 또 한편으론 시간이 가져갈 나의 순간들이, 사랑하는 것들의 숨이 무섭기도 하다. 많은 것을 가져갔고 또 가져갈 테지만 도리어 그에 쫓기는 나와 많은

이들의 모습에 저항하는 마음으로 이 시를 쓴다. 시간과의 싸움은 어차피 지는 싸움이다. 어차피 지는 싸움이라면 그나마 억울하지 않도록 그 순간 누릴 수 있는 가치를 만끽하고 이를 더욱 사랑하면서 살고 싶다. 가끔 또 잊으면서 살겠지만, 그럼에도 주어진 시간의 가치를 오래 기억하고 싶다.

## 착각

: 사람은 그리 대단한 존재가 아니다. 그러나 가끔 스스로 거스를 수 없는 영역까지 범접할 수 있을 것이란 오만한 생각을 한다. 해결하지 못한 일, 해결되지 못한 일, 되돌릴 수 없는 날, 사람의 마음 등이 그러하다. 뜻밖의 행운의 원인이 내게 있지 않듯, 뜻밖의 고통과 아픔도 그 뿌리가 내게 있지 않다. 운 좋게 지금 누리는 행복이 있다면 그 역시 영원하진 않을 것이다. 살며 큰 시련이 온다면 올 게 온 거지, 오면 안 될 게 왔다는 생각으로는 나아갈 수 없다. 원래 삶이 매끄럽지 않다고 한다. 그러니 우리, 착각하지 말자.

## 그대

: 무엇을 하든, 무엇에 뛰어들든 모든 망설임은 용기로, 두려움은 정면돌파로 싸우던 사람이 있었다. 한 치 앞도 모르는 나날과 무수한 선택이 만든 위대한 삶의 흔적들. 나는

언제나 그 투박한 흔적을 사랑한다.

시선

: 약해져 있을 땐, 스쳐 가는 눈빛에도 흠집이 난다. 시선은
의도치 않게 폭력이 되기도 한다. 가끔은 눈을 감고 기다
리는 것. 시선을 옮겨 그의 그늘을 밟지 않는 것. 굳이 딱한
눈으로 작아진 어깨를 껴안지 않아도 충분히 따스한 위로
다. 외로이 감당하고픈 슬픔을 존중해주자.

겁쟁이

: 흔히 겁쟁이는 아무것도 못 할 것이라고 단정 짓는다. 겁
이 많아서, 두려움에 삼켜져서, 혹은 이런저런 찌질한 이유
등으로. 그러나 잊지 말자. 벌벌 떨면서도 용기 내보는 피
투성이 겁쟁이도 있다는 것을.

욕심

: 주어진 것의 가치는 잘 보이지 않는다. 꽃은 자신의 찬란
함을, 별은 자신의 반짝임을, 달은 자신의 유일함을 알지
못한다. 나는 그를 동경하며 내가 지닌 무엇을 잊고 있는
지, 그것들과 함께 한참을 생각했다. 아, 이미 모두 지니고
있었다. 그래서 네가 될 수 있는 내일은 오지 않는다.

기다림

: 인생은 계절과 같다고 한다. 싹이 트고 잎이 나고, 어느덧 숲을 채운다. 설레는 봄을 맞고 무더운 여름을 불태우다 선선한 가을에 떨어져 겨울에 숨을 죽인다. 따스한 봄, 여름을 지나 잎은 서서히 색을 잃고 힘없이 떨어져 바스라진다. 이후 조용히 메말라가는 순간에도 뿌리를 지켜낸 채 햇살과 비를 맞아 또다시 선명한 색을 찾아가는, 그것을 반복하는 게 삶이란 생각이 든다. 그러니 혹여 지금 바닥에 나뒹구는 계절을 지나고 있다면 나는 기꺼이 기다림의 자세를 가지겠다.


너의 봄

: 청춘은 왜 봄날에 비유되는 걸까. 잘은 모르겠지만 화려한 꽃잎으로 모두를 간지럽히는 계절이라 그런가 보다. 좋으면 좋은 대로, 나쁘면 나쁜 대로 그 모든 것을 청춘이란 두 글자로 뭉뚱그려도 지나고 보면 그럴듯해 보이는 게 청춘이 가진 힘일지도 모른다. 그리하여 실수하고 조금은 모자라도 이를 발판 삼아 다시 나아갈 수 있는 것이 아닐까 싶다. 지나갔든, 지나고 있든, 지날 것이든 영원할 수 없는 어느 봄날 이름 모를 청춘에게, 살아있는 청춘에게, 죽어가는 청춘에게 이 시를 쓴다.

그런 날이 있어

: 곧이곧대로 사는 날만 있으면 무슨 재미가 있나. 행복을
행운으로, 평범함을 특별함으로 감싸보며 나를 위해 일상
속 작은 기지를 발휘하는 것도 나쁘지 않다. 쪽팔리게 좀
울면 어떻나. 헐떡이는 숨으로 홀로 밤거리를 헤매면 좀 어
떻나. 지극히 일어날 수 있는 조금 괴상하고 고약한 날이
내게도 찾아온 것일 뿐이다. 그리고 그건 그리 이상한 일이
아니다.

# 찰나의 기록들

**발행** 2024년 7월 7일
**지은이** 곽혜연, 안지영, 이은미, 지유빈, 정명진, 최현경, 윤
**라이팅리더** 차유오
**펴낸이** 정원우
**펴낸곳** 글ego
**출판등록** 2019.06.21 (제2019-000227호)
**주소** 서울특별시 강남구 강남대로 118길 24 3층
**이메일** writing4ego@gmail.com
**홈페이지** http://egowriting.com
**인스타그램** @egowriting

**ISBN** 979-11-6666-522-6